# LE LIVRE DES MASSAGES
## POUR LES BÉBÉS

# LE LIVRE DES MASSAGES
## POUR LES BÉBÉS

GILLES DIEDERICHS

VÉRONIQUE SALOMON-RIEU

rue des enfants

© 2008, rue des enfants
ISBN 978-2-35181-108-5
Achevé d'imprimer dans l'Union européenne en septembre 2015
Loi n° 49-956 du 16 juillet 1949 sur les publications destinées à la jeunesse

# SOMMAIRE

$\mathcal{L}$e massage de bébé et son éveil au son et à la musique sont des sources indispensables pour l'aider dans sa croissance.

Par le toucher, vous pouvez établir un contact immédiat unique. Dans vos mains, vous avez des messages d'amour, de réconfort, de prolongation d'une complicité basée sur le bien-être. Grâce aux conseils très simples proposés dans la partie livre, vous pourrez : détendre bébé, l'aider à bien digérer, calmer ses anxiétés naturelles, le dynamiser ou l'aider à s'endormir, équilibrer son système nerveux et le régénérer, l'aider à se dégager d'un rhume, d'une toux ou d'un début de froid... Pas à pas, en nommant les parties massées, vous lui permettrez aussi de prendre conscience de son corps, de ses membres et de ses fonctions, de son schéma corporel... Vous faciliterez ainsi l'expression de ses centres moteurs.

Chaque membre de la famille apportera sa « touche personnelle ». Un frère ou une sœur se sentiront plus proches du nouveau-né si, dès le départ, leurs mains peuvent transmettre ce que parfois les mots ne peuvent traduire, la découverte d'un nouveau partenaire familial. Papa, qui souvent se sent « l'oublié » des premières semaines, trouvera un terrain privilégié d'expression et établira des liens émotionnels particuliers avec bébé dès les premiers jours ! Sans oublier bien sûr maman, pour qui le massage sera un chemin de développement tactile et affectif indispensable entre elle et son bébé.

Le massage est donc un langage gestuel créatif et épanouissant qui relie bébé et la famille. Ce lien va pousser aussi la famille à développer entre chaque membre des mini séances où l'un peut apporter du bien-être à l'autre ! Ce qui est bon pour bébé dans le massage est bon aussi pour les grands ! Une tension nerveuse, un mal de ventre, un début de grippe… Les points à masser sont les mêmes pour tous et sans limite d'âge !

Par le son et la musique, bébé développe sa mémoire auditive et détermine peu à peu sa place dans l'espace. N'oublions pas que le système auditif de l'enfant commence sa croissance dans le ventre de maman dès l'âge de trois mois ! Chaque son reconnu par l'enfant est un apprentissage sonore de gagné, ce qui peut aussi éviter bien des peurs nocturnes dues à des sons non « actualisés ». Nous avons choisi pour bébé des sons de la nature comme les vagues douces, les oiseaux expressifs mais non criards (comme le pinson, le merle), les atmosphères sonores enchantées des sous-bois en été, le son des ruisseaux, le vent dans les pins, les dauphins…

En musicothérapie, nous nommons cette architecture « un bain sonore ». Ces ambiances vont envelopper bébé dans des atmosphères rassurantes qui facilitent l'imaginaire, mais aussi l'apprentissage du langage ! Les compositions des comptines sont proposées sous forme de musiques relaxantes, un peu dans le style des berceuses, soit en rythme binaire ou en tempos dégressifs afin de l'aider à l'endormissement ou à la récupération nerveuse. Elles utilisent des sonorités d'instruments tels que piano, hautbois, harpe, violon, boîte à musique… C'est pourquoi le CD peut aussi être écouté en tant qu'accompagnement musical tout au long de la journée.

En massant, ne cherchez pas précisément à suivre le texte ou écouter une comptine obligatoirement en rapport avec la partie massée. Laissez libre court à votre relation entre bébé et vous-même, elle vous conduira à être parfois très attentif(ve) à chaque plage musicale, parfois non, laissez faire…

Par contre, pensez toujours ces séances de massage en terme d'échange d'informations. Si vous êtes stressé(e), ne massez pas bébé ! Le massage n'est pas un défouloir ! Mais n'ayez pas peur de vous lancer, bébé est jeune mais il saura très vite communiquer avec vous pour vous indiquer ce qu'il ressent. Vous serez alors émerveillé(e)de voir votre relation s'épanouir et de constater combien le massage et l'éveil musical favorisent la croissance de l'enfant.

$\mathcal{P}$ensez toujours que masser bébé, c'est parler avec lui, grâce au support de vos mains. Ce que vous lui transmettez dans le massage est capté immédiatement, sans aucun filtre, aucun recul. C'est un rapport personnel extrêmement direct. Ainsi, vous devez témoigner du plus grand respect lors de ces séances. Mais c'est aussi un échange de complicité et d'apprentissage relationnel pour vous-même. Car vous verrez votre enfant répondre à toutes vos sollicitations, donc soyez attentif(ve) aux informations qu'il vous témoigne : un petit pied qui se tend car il en veut encore… Une grimace quand vous appuyez trop sur un ventre vous apprendra que la digestion est délicate…

• Ne surchauffez pas une pièce, pensez toujours qu'un bébé réagit aux mêmes températures qu'un adulte.

• N'hésitez pas à couvrir les parties qui ne sont pas massées.

• Le matin est idéal pour éveiller et dynamiser, le soir pour aider à l'endormissement. Dans la journée, le massage peut s'adapter aux « humeurs » de votre enfant, des propositions vous sont faites page après page pour utiliser certains massages dans des buts précis.

• Attention ! Ne massez pas bébé en cas de fièvre.

• Préparez votre enfant en lui parlant de la séance à venir. Lancez le CD qui commence par les sons de la forêt printanière. Adoptez une lumière tamisée, positionnez un drap doux et coloré sous bébé, parlez tranquillement, distinctement, votre voix est primordiale, elle agit comme un catalyseur de confiance et d'affection.

• Vous aurez pris soin d'avoir les ongles bien coupés, les mains propres et surtout chaudes ! Pour cela, n'hésitez pas à les frotter paume contre paume pour un premier contact, et ensuite à les huiler.

• Faites confiance à des huiles spéciales massages pour bébés qui sont dosées selon des principes bien établis et appropriées aux cellules de l'enfant. Choisissez-les si possible dans les qualités Bio, car aucune addition de produits dérivés du pétrole n'est autorisée par ces labels. Sinon, le beurre de karité est le principe actif le plus simple pour le massage. Si vous prenez des huiles courantes pour masser, prenez toujours des huiles de très bonne qualité, avec une pression à froid (choisissez donc des huiles végétales). N'oubliez jamais que l'huile doit pénétrer dans la peau : si, par exemple, vous prenez des huiles contenant des huiles essentielles, le corps va capter les facultés apportées par l'essence de la plante. Vérifiez bien la composition, le dosage et l'effet associé.

• La table de change peut vous servir de table de massage. Ayez à votre portée de quoi essuyer les trop-pleins d'huile sur le corps de bébé. Vous pouvez aussi poser un drap moelleux sur votre lit, vous êtes vous-même installé(e) contre le mur de la chambre, un coussin sous vos reins, bébé est soit entre vos jambes ou posé sur vos jambes jointes. En restant très attentif(ve) au confort de votre enfant, vous pouvez aussi être assis(e), bébé en travers ou le long de vos jambes. Pensez aussi à masser bébé dans la nature quand la température le permet.

• De 0 à 3 mois, cinq minutes à sept minutes suffisent. Dans ces trois premiers mois, évitez de masser le nombril tant que la cicatrisation n'est pas totale. Pour la tête, évitez de passer sur la fontanelle ou sur les tempes. N'appuyez pas sur la colonne vertébrale. En fait, vous « soulignez » les parties à masser plus que vous ne travaillez en profondeur, à part les pieds et les mains que vous massez peu à peu plus intensément.

• Évitez de laisser pencher la tête de bébé en arrière si vous le massez allongé sur vos jambes.

• Après 3 mois, le langage du massage sera bien établi avec votre enfant, prolongez la séance jusqu'à dix minutes, et n'hésitez pas à être créatif(ve), « passez la main » à votre conjoint(e)…

Plusieurs principes de massage existent :

Si vous voulez dynamiser un enfant : massez à rebrousse-poil.

Si vous voulez calmer et détendre un enfant : massez dans le sens du poil.

• Le mieux est de conjuguer simplement ces deux principes, comme nous vous le présentons dans ce livre. De toute façon, faites confiance à votre enfant pour vous signaler ce qui lui déplaît ou ce dont il a besoin… Votre guide, c'est lui… Vous pourrez plus tard étudier l'effleurage, le pétrissage, les tapotements du bout des doigts, ces techniques étant une continuité pour des parents qui vont approfondir leur connaissance du massage (pas avant 7 mois).

• Pour commencer, il est bien de suivre le livre avec la meilleure volonté, tout en guettant les réactions de votre enfant.

• Pensez à avoir vos mains toujours chaudes, pour cela posez un peu d'huile dans vos deux paumes et frottez-les. Soit vous huilez d'abord toute la partie à masser avant d'agir, soit vous le faites avec le massage lui-même. Pensez que l'huile de massage pénètre dans la peau, fait du bien à bébé, pensez donc en ayant l'image en tête que vous aidez au bien-être de bébé, à sa croissance. Même novice en massage, vous établissez une relation d'amour avec votre bout de chou… N'hésitez pas aussi à murmurer les berceuses de relaxation, même sans le support du CD ! La voix de papa est très importante pour détendre ou endormir bébé, un papa qui chantonne est un papa qui rassure, qui donne une part d'amour complémentaire primordiale à celle de la maman, cet ensemble est très important pour la croissance de l'enfant.

C'est à vous !

### Voici deux exemples de massage dynamisant ou relaxant

1/Massez à rebrousse-poil : effet dynamisant

Vous posez une main paume au-dessus du bassin et l'autre paume attend, prête à suivre le mouvement de la première main. Vous lissez délicatement le dos avec votre paume en remontant vers la nuque, en même temps la seconde paume se pose au-dessus du bassin. Une fois la paume arrivée à la nuque, la seconde main s'élance sur le dos de bébé. Attention, n'appuyez pas sur la colonne de bébé, vous lissez seulement ! Vous commencez avec le bras de bébé le plus proche de vous. Vous positionnez bébé sur le côté tout en tenant l'une de ses mains dans la vôtre (ou au poignet), ainsi son bras est levé naturellement vers vous.

2/Massez dans le sens du poil : effet relaxant

Avec votre deuxième main libre vous allez enserrer (en anneau) le bras levé de bébé à hauteur de son aisselle. Délicatement vous avancez vers son coude jusqu'au poignet.

# MASSAGES ET COMPTINES

*D*ans les premières semaines, les mains de bébé sont généralement comme « des fleurs encore fermées ». Il va falloir « défroisser » les mains pour laisser les doigts se détendre. Pour cela, délicatement, vous allez utiliser votre pouce et votre index préalablement enduits d'une huile de massage. Le premier mois, vous ferez ces mouvements très régulièrement mais sans jamais forcer la main à s'ouvrir et les doigts à se détendre trop brutalement. Parlez à bébé en lui expliquant que vous allez lui masser la main. Précisez : « La main, ce sont les doigts, la paume, le poignet et tu vas apprécier ce massage ».

Commencez par la main droite.

Naturellement, les doigts de bébé vont se détendre peu à peu.

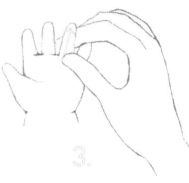

Votre pouce et votre index vont étirer doucement chacun des doigts.

Votre pouce va successivement « peindre » chaque doigt détendu avec l'huile de massage par des petits allers-retours.

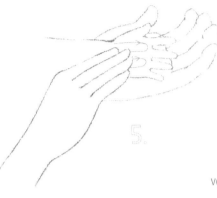

Prenez la main droite de bébé, ses petits doigts détendus ou non sont posés dans la paume ouverte de l'une de vos mains. Délicatement, caressez le dessus de la main par des allers-retours en direction de la base de chaque doigt.

5.

Enserrez le poignet avec votre pouce et votre index, et faites-les tourner tout en glissant sur le poignet de l'enfant.

6.

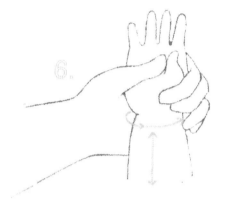

7.

Tapotez doucement chaque bout de doigt en récitant : « Toc toc toc c'est le pic-vert, toc toc toc mais où se cache le petit ver ? »

8. Recommencez avec l'autre main.

Précisez, à la fin du massage, en tenant les deux mains de l'enfant dans les vôtres : « Voici deux jolies petites mains toutes détendues comme des fleurs ouvertes. » Le massage des mains aide à détendre le plexus solaire de l'enfant, spécialement quand vous massez l'intérieur de la paume. Il apaise les chagrins nés d'une peur d'abandon. Il est idéal pour commencer une journée, mais aussi rassurer pendant la nuit, après un mauvais rêve. C'est le contact immédiat apaisant le plus simple pour bébé. (Notez qu'en tapotant le bout des doigts de bébé, vous stimulez les méridiens du cœur, du gros intestin et de l'intestin grêle, mais aussi le cerveau et les sinus).

Dans la forêt l'air est doux
*(Vous tenez les mains de l'enfant et vous les remuez doucement)*
Le hibou aperçoit le coucou
*(Vous rapprochez les deux mains de bébé)*
Bonjour à toi joli coucou
*(Une main de bébé dit bonjour à l'autre main)*
Coucou à toi joli hibou
*(Une main de bébé dit bonjour à l'autre main)*

## Refrain
En été les oiseaux chantent
Qu'il pleuve ou qu'il vente, tous les soirs, chaque matin
L'écureuil joue avec les pommes de pin
*(Marquez doucement le rythme en faisant se toucher les mains de l'enfant)*

À qui sont ces petits doigts ?
*(Tenez les mains de l'enfant par le bout des doigts)*
Sont-ils bien tous à toi ? Toc toc fait le gentil pic-vert
*(Tapotez avec votre index chaque doigt de la main droite)*
Mais où se cache le petit ver ?
*(Tapotez avec votre index chaque doigt de la main gauche)*

Dans la paume de ta main
Tu poses un pouce et tu pousses
*(Posez un pouce de la main droite de bébé dans la paume de la main gauche)*
Sur le dessus de ta main
Court un petit lapin
*(Chatouillez le dessus de la main droite de bébé)*

Refrain

Et autour de ton poignet court le gentil furet
*(Soulignez avec votre index le tour de poignet de bébé)*
Il chatouille et grattouille
*(Chatouillez l'ensemble du poignet)*
Tout l'été il faut s'amuser !

Refrain

asser les pieds des enfants est primordial pour leur croissance. Pour les futurs premiers pas, une voûte plantaire détendue et bien en place sur le sol donnera à tout l'édifice du corps une position stable, donc une confiance dans la découverte de la marche et de l'espace dans lequel bébé va évoluer. Par le massage du pied, on fait travailler l'ensemble des organes (foie, reins, cœur, intestin…) et le squelette (colonne vertébrale, lombaires…). Les premières semaines, caressez plus que vous ne massez. Le massage des pieds, vous le verrez, bébé adore… Il tendra ses petits pieds pour chercher le contact… Commencez par parler à bébé : « Je vais te masser d'abord le pied droit… Un pied avec cinq doigts de pieds (énumérez-les), maintenant voici le dessus du pied, le dessous avec la plante de ton pied droit, et le talon ». (Touchez chaque partie énoncée)

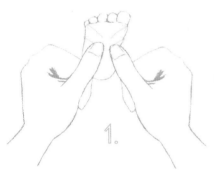

Tenez le talon du pied droit de bébé dans la paume de votre main. Avec le pouce de votre autre main, allez doucement du talon vers la pointe des pieds et revenez tranquillement en « peignant » peu à peu vers chaque doigt de pied de bébé.

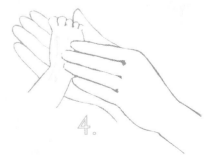

Placez les deux pouces au centre de la voûte plantaire et effectuez un mouvement comme celui d'ouvrir un livre. Parcourez toute la voûte plantaire du centre vers le bord du pied sans revenir.

Au centre de la voûte plantaire, alternez une pression douce vers la droite, une vers la gauche. Parcourez l'ensemble de la voûte plantaire.

Restez quelques instants avec le dessous du pied de bébé posé sur la paume de l'une de vos mains tandis que l'autre main est posée sur le dessus du pied. Puis une fois le contact avec bébé établi, massez vers le haut le dessus des pieds (englobez les chevilles) puis vers le bas, comme une caresse dans les 3 premiers mois.

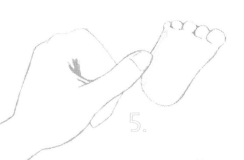

Passez doucement votre pouce sur
la tranche droite de la voûte plantaire
de bas en haut et réciproquement,
puis passez à la tranche gauche du pied.

5.

Massez circulairement le talon
de bébé puis, avec votre pouce
et votre index, massez au-dessus
du talon vers la cheville.

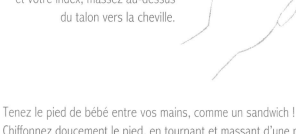

6.

7.

Tenez le pied de bébé entre vos mains, comme un sandwich !
Chiffonnez doucement le pied, en tournant et massant d'une main
dans le sens des aiguilles d'une montre, tandis que l'autre main
commence dans l'autre sens, puis alternez les sens de massage
des deux mains.

8. Revenez au premier mouvement avant de passer au pied gauche.

LES ASTUCES

Le côté du pied, à l'intérieur du pied, correspond à la colonne, vous allez pouvoir détendre
un bébé « crispé » et nerveux. Le talon correspond aux lombaires : parfois, après de longs moments
assis dans son siège de repos, vous pourrez le détendre. Le centre de la voûte plantaire correspond
aux reins : n'hésitez pas à stimuler bébé quand il vous semble trop « apathique » ou quand il fait
chaud tout en le faisant boire régulièrement. La partie sous le point du rein jusqu'au talon correspond
aux intestins : vous pouvez agir sur un enfant ballonné ou constipé. La partie au-dessus
des reins correspond aux poumons et au diaphragme : un bébé enrhumé ou sanglotant va bénéficier
de ce massage. Les pieds sont sacrés... D'ailleurs n'hésitez pas à souffler, chatouiller, mordiller...
Attendez 2 à 3 mois pour tirer légèrement chaque doigt de pied et les faire tourner.

## Refrain

Petits pieds, dim dom, jolis pieds, dim dom
Pour courir ou pour marcher, dim dom
Pour jouer, pour sauter
Tu peux tout faire avec tes pieds, sacrés petits pieds !
*(Vous tenez les deux pieds dans vos mains et vous les penchez
en rythme à droite et à gauche)*

Au printemps dans les champs
Tu peux courir après les papillons
Tu peux jouer à saute-mouton
Ou danser avec le vent
*(Le temps du couplet, poussez doucement chaque doigt de pied
de l'enfant, afin de les « décoller » de la voûte plantaire)*

## Refrain

Taper dans l'eau, c'est rigolo
Enjamber des gros rochers
Sauter sur un pied entre les blés

Sauter à pieds joints dans le foin
*(Le temps du couplet, le talon droit de bébé dans votre paume,
avec l'autre main, très délicatement, vous faites pivoter le pied dans
le sens des aiguilles d'une montre)*

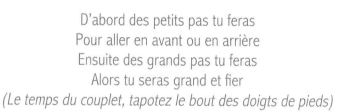

*Refrain*

Sur le sable tu peux dessiner
Des doigts de pieds bien écartés
Des pointes de pieds pour se lever
Des talons tout ronds petit patapon
*(Le temps du couplet : le talon gauche de bébé dans votre paume,
avec l'autre main, très délicatement, vous faites pivoter le pied
dans le sens des aiguilles d'une montre)*

D'abord des petits pas tu feras
Pour aller en avant ou en arrière
Ensuite des grands pas tu feras
Alors tu seras grand et fier
*(Le temps du couplet, tapotez le bout des doigts de pieds)*

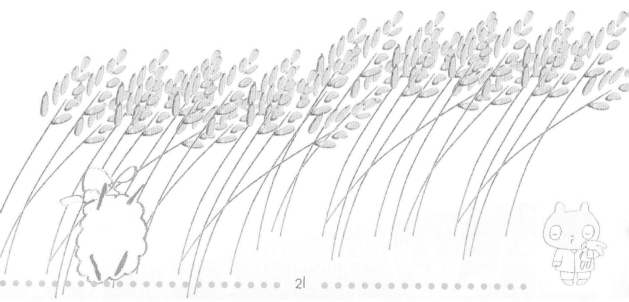

# LES JAMBES

Tant que bébé ne se tient pas assis, il ne prend pas rapidement conscience du rôle de ses jambes. En les massant doucement, vous allez aider à une bonne circulation sanguine vers les pieds et les hanches. Par le toucher et le bien-être, vous l'aiderez peu à peu à intégrer l'information que ses jambes représentent des fonctions motrices primordiales pour sa croissance. Préparez bébé en lui annonçant : « Je vais te faire un massage des jambes (touchez), une jambe, c'est une cheville, un mollet, un genou, une cuisse… » Frottez-vous les mains avec une goutte d'huile de massage. Votre bébé est allongé sur le dos, vous prenez un premier contact en posant vos deux mains sur les deux jambes au niveau des chevilles.

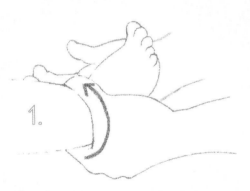

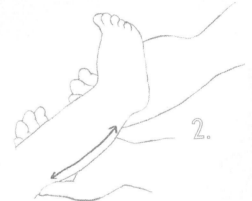

Prenez le pied droit et posez le talon dans votre paume gauche. Massez doucement du pouce et de l'index tout autour au-dessus du talon. Faites bien le tour de la cheville.

Soulevez un peu la jambe et massez doucement le mollet en allant de bas en haut et inversement.

Du pouce et de l'index, lissez délicatement la jambe le long du tibia et du péroné en un aller-retour doux.

Tournez dans le sens des aiguilles d'une montre avec votre
paume, sur le genou, sans pousser ! N'oubliez pas
de bien faire le tour du genou ensuite en enrobant avec
votre pouce et votre index en forme d'anneau !

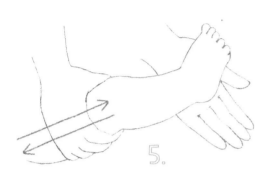

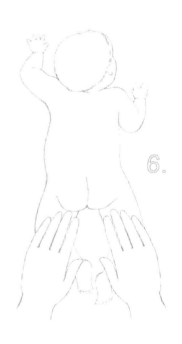

De la main gauche, tenez la jambe droite de bébé au niveau
de sa cheville et levez doucement la jambe. Avec votre main droite,
enserrez la cuisse au-dessus du genou et remontez votre main
tout en lissant la cuisse. Arrivé à la hanche, faites de même
en redescendant vers le genou. Reposez la jambe droite pour passer
à la jambe gauche. (Essayez toujours de laisser une main
en contact avec le corps de l'enfant).

Entre le 4<sup>ème</sup> et le 6<sup>ème</sup> mois, vous pourrez mettre
bébé sur le ventre et massez directement
la partie arrière des jambes avec vos deux mains.

 LES ASTUCES

$\mathcal{L}$e massage des jambes défatigue l'enfant avant l'endormissement. Il aide à la récupération
nerveuse pendant la nuit. N'hésitez pas à aussi simplement chauffer vos mains en les frottant
paume contre paume et à les poser 10 secondes sur les chevilles, les genoux, les cuisses…
Ce simple contact rassure par votre présence douce et chaleureuse. En massant plus
vigoureusement, c'est aussi une bonne dynamique pour lancer la journée !

*Refrain*
Une jambe
Une belle gambette
Avec une cheville qui frétille,
Un mollet bien rondouillet
Un genou tout doux
Un genou très chouette
Et des cuisses toutes lisses
Ça c'est une belle gambette !
*(Touchez chaque partie de la jambe énoncée)*

Tu pourras prendre tes jambes à ton cou
Tu pourras prendre la poudre d'escampette
Et tes beaux genoux joueront des castagnettes
Alors tes cuisses seront lisses comme du réglisse !
*(Imitez chaque action décrite)*

## Refrain

Te tortiller comme une anguille
Grâce à tes chevilles
Tapoter tes cuisses
Pour jouer de la batterie

Croiser tes genoux
Comme un petit fou

Gonfler tes mollets, tes jolis mollets !
*(Imitez chaque action décrite, touchez les parties
décrites sur le corps de l'enfant)*

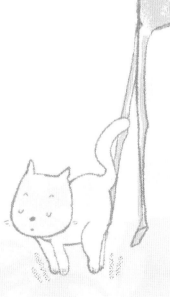

$\mathcal{A}$ttention à ne pas masser le ventre de bébé tant qu'il n'a pas cicatrisé au niveau du nombril, ou quand il a de la fièvre. Par contre, pour des coliques ou une digestion difficile, massez sans trop appuyer dans le sens des aiguilles d'une montre, cela va le soulager. Parfois, simplement en frottant vos deux paumes et en plaçant une paume sur le haut de l'estomac et l'autre sur le ventre, vous allez déjà détendre bébé. Des huiles spéciales pour bébés à l'eucalyptus en massage sur les poumons vont aider à le décongestionner en cas de début de toussotement. Le massage des hanches est bénéfique en cas de tensions nerveuses, et dès que l'enfant commence à comprendre comment se déplacer à quatre pattes ! Préparez bébé au massage en lui disant : « Je vais te masser les hanches, le ventre, les poumons ». (Touchez ces parties du corps)

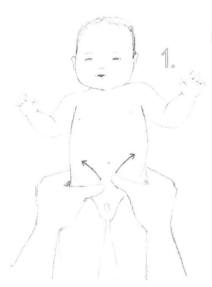

**1.** Passez vos doigts des deux mains sauf les deux pouces, sous le fessier de bébé. Délicatement, lissez au niveau du centre pubien vers les hanches, plusieurs fois et doucement.

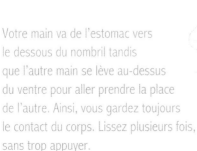

**2.**

Frottez vos mains et posez une paume sur l'estomac et une autre juste en dessous du nombril. Prenez une pause de quelques secondes.

**3.**

Votre main va de l'estomac vers le dessous du nombril tandis que l'autre main se lève au-dessus du ventre pour aller prendre la place de l'autre. Ainsi, vous gardez toujours le contact du corps. Lissez plusieurs fois, sans trop appuyer.

Avec le bout de vos doigts, partez du nombril, en formant une spirale de plus en plus grande (uniquement quand le nombril est cicatrisé).

**4.**

Vous pouvez alterner en massant en triangle avec les doigts d'une main à plat ; pour cela, vous partez du bas du foie, en allant vers le plexus solaire, puis le creux situé en haut de la hanche gauche de bébé, pour finir de nouveau en allant vers le foie.

**5.**

**6.**

Frottez vos deux mains et posez-les à plat sur les poumons de bébé. Partez doucement sur les côtés des poumons, comme pour ouvrir un livre.

**7.**

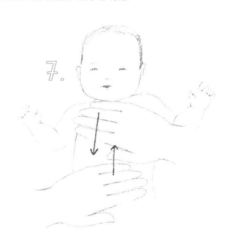

Votre main gauche est à plat sur le ventre de bébé, votre main droite à plat juste à la base du cou, lissez en alternant les deux mains et le sens de massage.

**LES ASTUCES**

N'oubliez pas qu'en cas de toussotement ou de refroidissement, vous masserez aussi le dos au niveau des poumons de la même manière que pour la partie face de l'enfant. Le contact de vos mains chaudes peut soulager bébé en cas de début de gastro. Posez une main sur le front et une autre sur l'estomac ou le foie ou sous le nombril.

**Refrain**
Des petites hanches qui se déhanchent
Un ventre tout doux, qui fait des glouglous
Des poumons poupons pour bien respirer
Tout ça pour jouer sur la plage, ne pas être sage

Une mouette se pose
Sur ma hanche
Joli mouette
Tu es vraiment chouette
Tu te penches
Sur mon joli ventre
Que tu chatouilles
Gratouilles gentiment

**Refrain**

Sur le sable
Je voulais faire dodo
Quand un crabe est venu
Sur mon dos
Alors il m'a poussé
Prêt à me pincer
Alors que je voulais faire dodo

Dans l'eau de mer un petit poisson
Vient se frotter
Contre mes poumons
Il doit avoir froid
Pour se blottir contre moi
Et tu me chatouilles
Me gratouilles gentiment


Refrain


Sur le sable
Je voulais faire dodo
Quand un crabe est venu
Sur mon dos
Alors il m'a poussé
Prêt à me pincer
Alors que je voulais faire dodo, faire dodo
Alors que je voulais faire dodo

# LES BRAS

*P*our une anxiété ou une fatigue nerveuse, le massage des bras aide l'enfant à se détendre. Ce massage est idéal cn continuité du visage et appelle un massage des mains. D'ailleurs, bébé va de lui-même « tricoter dans l'air » pour vous le faire comprendre...

Dans les premières semaines, contentez-vous de caresser ses bras. Les articulations sont encore fragiles. Après 2 à 3 mois, vous pouvez commencer à agir. Huilez bien vos deux mains. Préparez bébé en lui disant : « Je te propose un massage des bras. Le bras commence ici (haut du bras) pour passer par le coude (Touchez) et finir avec la main et les doigts (Touchez) »

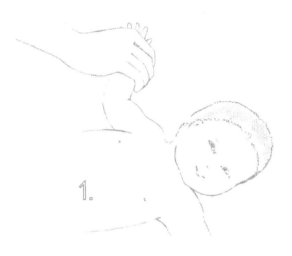

Commencez avec le bras de bébé le plus proche de vous. Positionnez bébé sur le côté tout en tenant l'une de ses mains dans la vôtre (ou au poignet), ainsi son bras est levé naturellement vers vous.

Avec votre main libre, enserrez (en anneau) le bras levé de bébé à hauteur de son poignet. Délicatement, avancez vers son coude jusqu'à son aisselle (sans pincer la peau).

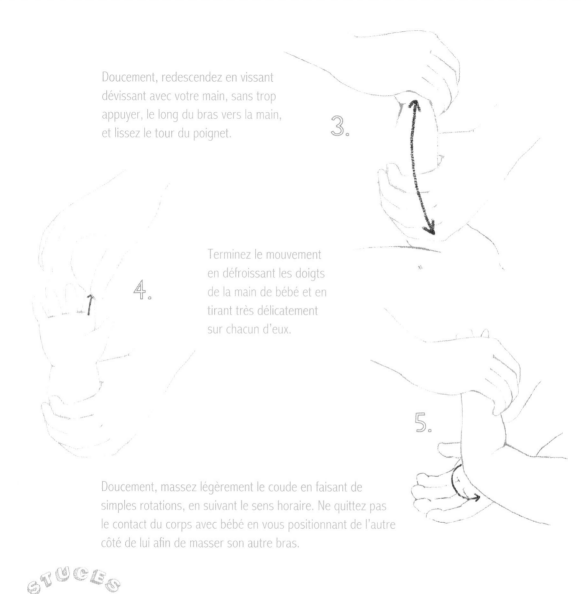

Doucement, redescendez en vissant
dévissant avec votre main, sans trop
appuyer, le long du bras vers la main,
et lissez le tour du poignet.

3.

Terminez le mouvement
en défroissant les doigts
de la main de bébé et en
tirant très délicatement
sur chacun d'eux.

4.

5.

Doucement, massez légèrement le coude en faisant de
simples rotations, en suivant le sens horaire. Ne quittez pas
le contact du corps avec bébé en vous positionnant de l'autre
côté de lui afin de masser son autre bras.

LES ASTUCES

$\mathcal{B}$ébé a tendance à s'amuser avec ses bras et à trop stimuler ses articulations.
Passez un peu de temps à lisser doucement les coudes et les clavicules avant
qu'il ne s'endorme.

*Refrain*
Comme tu as de grands bras
*(Touchez les deux bras de bébé)*

Fins et délicats pim pom ratapom !
Si tu les tends vers moi
*(Écartez les bras de bébé)*

Je me blottirai contre toi pim pam ratapam !
Je me blottirai contre toi
*(Passez les bras de bébé autour de votre cou, lui faire un bisou)*


Pour cueillir des cerises, pour faire des bêtises
Chercher le chocolat, tirer la queue du chat
Serrer ton doudou, pousser avec tes doigts
Tu auras besoin de tes deux bras pour faire cela
Tu auras besoin de tes deux bras pour faire cela
*(Touchez en alternance les bras de bébé)*


*Refrain*

Tu peux lever un bras pour demander « Pourquoi ? »
*(Levez un bras de bébé)*
Tu peux baisser un bras pour dire « Je ne veux pas ! »
*(Baissez le bras de bébé)*
Tu peux croiser tes bras pour dire « Je ne sais pas »
*(En tenant les mains de bébé, croisez ses bras sur sa poitrine et décroisez-les)*
Tu auras besoin de tes deux bras pour faire cela
Tu auras besoin de tes deux bras pour faire cela
*(Touchez en alternance les bras de bébé)*

### Refrain

Et puis tu as deux coudes
Comme ça si tu boudes
*(Touchez chaque coude)*
Tu pourras te cacher
Tes coudes sur ta tête
*(Doucement soulevez ses coudes vers sa tête)*
Et les jours de fête
Tu pourras les balancer
*(Jouez à balancer ses coudes en les tenant par en dessous)*
Tu auras besoin des coudes et des bras pour faire ça
Tu auras besoin des coudes et des bras pour faire ça
*(Touchez en alternance les bras de bébé)*

### Refrain

# LE COU ET LES ÉPAULES

Le cou de bébé est d'une très grande fragilité et en même temps d'une très grande mobilité ! D'ailleurs, à toutes les sollicitations (sons, mouvements extérieurs, lumière et ombre) bébé va d'abord utiliser toute la tête. Ce n'est que semaine après semaine qu'il séparera les yeux, les oreilles, et enfin le cou pour chercher derrière ou sur les côtés. D'où l'importance de masser délicatement le cou pour aider à sa motricité. Ce massage l'aidera à cordonner tous ces sens, mais aussi à le reposer de toutes ses gesticulations. Car les épaules et le cou sont aussi liés par des muscles. Donc un massage à intégrer au quotidien pour défatiguer bébé.

Bébé est allongé sur le dos, embrassez-le dans le cou et posez vos doigts sur ses épaules. en lui disant : « Je vais masser ton joli cou qui mérite un bisou. Puis tes belles épaules ! »

**1.**

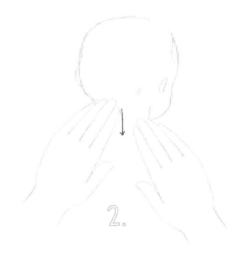

**2.**

Frottez vos mains avec une noisette d'huile bien chaude. Appliquez les paumes chaudes sur les côtés du cou de bébé et restez quelques instants. Attention, n'enserrez jamais le cou de bébé et ne le soulevez pas par le cou tête en arrière !

Du bout des doigts (surtout les 3 premiers mois), étirez très doucement du haut du cou vers la base du cou.

Continuez en massant de la base du cou jusqu'au bout des épaules. Revenez vers le haut du cou. (Vers 3 mois, passez légèrement vos doigts derrière le cou). Faites plusieurs allers-retours.

Terminez en enrobant de vos mains les épaules de bébé, tournez avec vos deux pouces dans le sens horaire sans appuyer, et « chassez » vers l'extérieur vos mains, comme pour épousseter une surface.

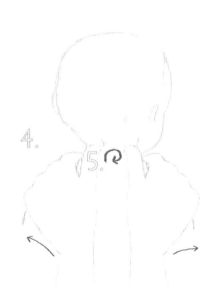

ASTUCES

Un bébé qui sanglote peut être calmé en apposant vos paumes de mains chaudes par touches successives (je chauffe, je pose) quelques secondes tout en le rassurant en murmurant des mots doux à ses oreilles.

# LA COMPTINE

*(Pour toutes les strophes, mimez,*
*avec l'index et le majeur, en faisant vivre le texte*
*sur le cou et les épaules de bébé)*

Près de la rivière près des noisetiers
Été comme hiver vivent cachés
Le renard et l'écureuil, ils te disent :
« Viens au bord de l'eau jouer avec nous,
Moi petit renardeau, je viendrais me lover dans ton cou ! »

### Refrain
Ce petit cou mérite un bisou
Et cette épaule mérite un bisou
Et cette jolie tête gaie comme un jour de fête
Mérite aussi un bisou tout doux
Le rire d'un enfant est le plus beau cadeau
Pour son papa et sa maman

Dans le champ tout près du ruisseau
Tu entendras l'alouette chanter
Elle se posera sur ton épaule pour te raconter
Comment le soleil tout en haut du ciel
Réchauffe les cœurs de tous les bébés

Refrain

Au bord du chemin sous la reine-des-prés
Flâne un beau lapin qui cherche un gros câlin
Il a envie de jouer avec son ami le sanglier
Et avec le crapaud rigolo il fait des bulles
Rien que pour embêter la libellule

Refrain (x 2)

*L*e visage de l'enfant est très sensible. Il faut l'approcher avec beaucoup de délicatesse. Veillez à avoir les mains chaudes en les frottant avec une huile de massage. Ne touchez jamais la fontanelle de l'enfant pendant les 6 premiers mois, n'insistez pas sur les tempes. Dans les premières semaines, contentez-vous de souligner les gestes du massage, comme une caresse affectueuse et réconfortante. Ensuite, vous pourrez jouer au coucou caché mais sans jamais rester longtemps à cacher la vue de l'enfant.

Commencez le massage en annonçant : « Coucou, je pose mes mains sur ton visage. »

**1.**

Partez du centre du visage vers l'extérieur en suivant le mouvement arrondi des flèches.

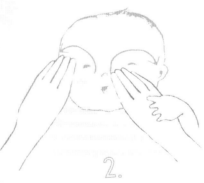

**2.**

Lissez le front avec le bout de vos doigts, en partant du bas du nez vers les tempes.

**3.**

Avec vos deux index, appuyez doucement en partant de la racine du nez vers les joues, en direction des oreilles.

4.

5.

Placez un index au-dessus
de la lèvre et l'autre index
sous la lèvre au-dessus
du menton, et massez
doucement.

Placez une main sur le front, l'autre main sous
le menton, et lissez doucement.

6.

Prenez les deux lobs
des oreilles entre vos doigts,
et massez en étirant les oreilles
sur le côté. Puis terminez
en faisant de nouveau le premier
mouvement.

LES ASTUCES

Il est important que papa « pose » aussi ses mains sur le visage de son enfant.
Son énergie plus « yang » va aussi aider bébé dans sa construction émotionnelle.
De plus, que l'enfant apprenne que l'énergie masculine est aussi faite de douceur est très
important et ce, dès son plus jeune âge.
Par le massage du lob de l'oreille, on peut agir sur les grippes, les sinus et le nez qui coule,
détendre tout « le masque » de l'anxiété quand l'enfant est perturbé par
son environnement et que les muscles du visage son trop stimulés par des manques
de repère de l'enfant (des voix inconnues, des bruits, des déplacements intempestifs…)

Un joli nez au milieu du visage
*(Posez un doigt sur le nez de bébé)*
Pour respirer et même se moucher
Une jolie bouche sage comme une image
*(Posez un doigt sur la bouche de bébé)*
Pour parler et même bien rigoler

## Refrain
Une jolie tête pour les jours de fête
*(Paumes des mains posées sur le contour de la tête)*
Un joli sourire pour s'épanouir et fleurir
*(Contour de la bouche avec vos doigts)*

Et tu es joyeux comme une hirondelle
Tout doux comme une tourterelle

De très grands yeux de jolis paysages
Pour regarder et même pour rêver
De jolis sourcils poudrés comme des nuages
*(Vos doigts tournent autour des sourcils de bébé)*
Pour les rapprocher ou même s'étonner

Refrain

Et tu es joyeux comme un pinson
Tout doux comme un petit chaton

De belles oreilles rondes comme des coquillages
*(Tirez doucement sur le lobe des oreilles)*
Pour écouter et même les agiter
Un petit menton qui bouge comme un feuillage
*(Posez votre doigt sur le menton et chatouillez)*
Pour s'appuyer ou pour le gratter

# LE DOS

Ce massage est l'une des clefs de la relaxation de l'enfant. Le dos est à privilégier comme zone réflexe de massage. La stimulation du dos aide bébé à s'affirmer dans son corps, c'est avec un dos solide qu'il pourra se tenir debout ! Ce massage est parfait pour consolider toute la structure colonne vertébrale, nuque, bassin et muscles. Il aidera à la bonne croissance de l'enfant. C'est un déstressant général idéal, ou un tonifiant du matin (s'il est fait à rebrousse-poil) parfait ! Papa trouve ici un rapport affectif personnel très important dans l'échange père-enfant ! Parlez avec bébé. Dessinez avec votre doigt tout le contour du dos et crayonnez à l'intérieur et dites :

« Ton dos c'est tout cela, les épaules, les cotes, le bassin, la colonne vertébrale, les reins, les omoplates… Je vais tranquillement te masser le dos… »

1.
Posez une paume au-dessus du bassin
et l'autre paume à la base du cou.
En lissant délicatement le dos, alternez : la main
va de la nuque vers le bassin. Arrivée vers
le bassin, l'autre main monte vers la nuque.
Attention, n'appuyez pas sur le dos de bébé,
lissez seulement !

Posez vos deux mains sur le dos, le
bout des doigts vers la nuque de bébé.
Massez avec vos mains du bas vers
le haut, l'une après l'autre. Attention,
massez sur les côtés de la colonne
uniquement !

2.

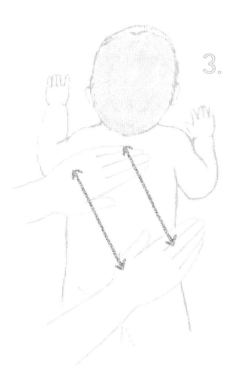

3. Positionnez-vous sur un côté du dos de bébé. Votre main droite est posée paume sur le bord du dos de bébé le plus éloigné de vous, et la main gauche sur l'autre côté le plus proche de vous. Faites un mouvement simultané pour lisser le dos en remontant et descendant en travers du dos de bébé. Toujours sans appuyer fortement au passage de la colonne.

Du bout des doigts, soulignez le contour des omoplates et terminez en enrobant les clavicules et le contour des épaules. 4.

## LES ASTUCES

Dans les premières semaines, n'hésitez pas à poser bébé sur vos jambes serrées. Posez-le en long ou en travers de vos jambes, mais si bébé manifeste de l'inconfort ou de l'anxiété dans cette position, posez-le sur sa table de change. Ici, nous prendrons l'exemple d'un bébé de déjà 2 mois. L'enfant se sert de ses avant-bras comme des accoudoirs !

### Refrain

Une chenille qui se tortille
Sur ton joli dos tout chaud
Gentille chenille ondule sur la peau !
Tu seras un jour un beau papillon
Un joyeux compagnon qui chantera ses chansons
*(Faites onduler votre main sur le dos de bébé
et soulignez doucement avec deux doigts en montant
et descendant sur les côtés et le long
de sa colonne vertébrale)*

Fleur de vanille, fleur de camomille
Bercées par le vent, dansent doucement
Un deux trois quatre fait le papillon !
Hmmm comme vous sentez bon !
Je ferai un récital posé la sur vos pétales
*(Tapotez lentement le long des omoplates)*

## Refrain

Dans l'herbe qui brille sur une brindille
J'offre mes couleurs à vous nobles fleurs
Un deux trois quatre fait le papillon !
Hmmm comme vous sentez bon !
Je ferai un récital posé la sur vos pétales
*(Tapotez lentement le long au-dessus des hanches)*

## Refrain

Fleur de vanille, fleur de camomille
Bercées par le vent, dansent doucement

# PETIT CHEMIN D'ÉTIREMENT DOUX

*V*oici un petit chemin d'étirement doux qui peut être effectué avant le massage ou simplement pour un moment de complicité avec votre enfant.

Un grand frère ou une grande sœur en action apportera un grand moment de complicité familial !

Ce chemin d'étirement se pratique plutôt vers les 3 mois. Attention, on parle bien d'assouplissement, pas de bébé caoutchouc !

Effectuez ce chemin sans jamais forcer, et pas à pas, séance après séance… et très doucement…

Séances à effectuer loin des repas !

## 1.

Posez les mains de bébé dans les vôtres, écartez les bras de bébé vers l'extérieur et croisez-les sur sa poitrine, puis recommencez en alternant le bras droit de bébé posé sur la poitrine au-dessus ou en dessous du bras gauche.

## 2.

Tenez son bras gauche et montez très doucement sa jambe droite en direction de son épaule gauche puis inversez.

## 3.

Tenant bébé par les deux pieds, soulevez-le par les pieds, tout en prenant garde à ne jamais décoller les épaules du sol, à ne pas laisser sa tête comme support de tout le corps. Bébé doit naturellement « s'enrouler » et se « dérouler ».

**1.**

Amusez-vous à basculer avec votre enfant en tendant vos jambes et en les remontant doucement.
Étirez doucement les bras de bébé vers le haut, faites-les redescendre
le long du corps. Alternez en levant en croix les bras de bébé,
sans forcer, et arrêtez-vous bien à hauteur de ses épaules.

**2.**

Goûtez ce moment de tendresse
où bébé est à l'écoute de votre souffle…

**3.**

Tenez bébé sous les bras et soulevez-le en l'air au-
dessus de vous en lui parlant avec confiance, fixez son
regard et faites-le doucement parvenir au-dessus
de votre tête puis revenez en position initiale.